assolo

Federico De Roberto

La paura

*Postfazione di
Antonio Di Grado*

edizioni e/o

© Copyright 2008 by Edizioni e/o
Via Camozzi, 1 – 00195 Roma
info@edizionieo.it
www.edizionieo.it

Prima edizione nella collana
Grandi Racconti 1995

Grafica/Emanuele Ragnisco
per Mekkanografici Associati
Illustrazione di copertina/Chiara Carrer
Impaginazione Plan.ed

ISBN 978-88-7641-816-7

Nell'orrore della guerra l'orrore della natura: la desolazione della Valgrebbana, le ferree scaglie del Montemolon, le cuti delle due Grise, la forca del Palalto e del Palbasso, i precipizii della Fòlpola: un paese fantastico, uno scenario da Sabba romantico, la porta dell'Inferno.

Non una macchia d'albero, non un filo d'erba tranne che nel fondo delle vallate: lassù un caotico cumulo di rupi e di sassi, l'ossatura della terra messa a nudo, scarnificata, dislogata e rotta. Gran parte delle trincee s'eran dovute aprire spaccando il vivo masso, a furia di mine: il monte delle schegge aveva dato il materiale per i muretti e il pietrisco era servito a riempire i sacchi-a-terra. L'acqua mancava del tutto e doveva essere trasportata a schiena di mulo, nelle ghirbe[1], insieme con i viveri.

Tuttavia i soldati s'erano accomodati anche lì e non parevano starci di peggio umore che altrove. Il posto era spaventoso, ma in compenso tranquillo. Ogni idea di altri sbalzi, da quelle parti, pareva deposta; poteva soltanto temersi che gli Austriaci volessero essi profittare delle loro posizioni più vantaggiose, e quindi occorreva stare molto attenti, segnatamente nel tratto avanzato del costone della Venzela, dal cui mantenimento dipendeva la saldezza della linea retrostante. Ma neppure i nemici si mostravano animati da proponimenti bellicosi, e a poco a poco s'era così venuto formando una specie di tacito accordo in virtù del quale nessuno dei due partiti dava molestia all'altro. Vigilanza incessante, ma non ostilità.

Il servizio più penoso toccava alla vedetta posta all'imbocco del canalone che andava a finire nella conca del Corbin: poiché solamente di lì i nemici potevano tentare una

[1] Otri di pelle per l'acqua.

sorpresa, gli ordini portavano che quel passaggio fosse continuamente esplorato dall'alto, e precisamente dal punto già designato per la postazione d'una mitragliatrice alla quale si era poi dovuto rinunziare non essendo riuscito possibile mascherarla.

La piazzola, quantunque lontana soltanto una cinquantina di metri dalla trincea, ne pareva remotissima essendone distaccata del tutto: un certo tratto della linea d'accesso restava bene o male riparato da due muricciuoli formanti camminamento; ma più oltre, per la natura e la configurazione del terreno, non si era potuto improvvisare nessuna sorta di riparo, e l'uomo destinato alla fazione doveva avanzarsi carponi, insinuandosi tra le pieghe del suolo, fino a una radice di parapetto formato dalle sporgenze della roccia e rialzato alla meglio con sassi e sacchetti. Lì, durante due ore, in una posizione incomodissima, sotto il sole dei meriggi estivi e al gelo delle notti, la vedetta aveva la consegna di non perder mai di vista il fondo della forra.

Dirimpetto, a mezzo chilometro a volo d'uccello, la linea nemica; che poi s'accostava alla nostra verso sinistra, dalla parte del Lamagnolo, e quasi la radeva, a segno che se gli uomini di guardia avessero parlato la stessa lingua, avrebbero potuto attaccar discorso. E già qualche parola si veniva scambiando, laggiù: qualche pagnotta volava dai nostri posti ai posti austriaci, e qualche pacchetto di tabacco faceva la strada inversa, mentre ci stavano dinanzi truppe boeme, fin da allora poco disposte a lasciarsi ammazzare per i begli occhi di Casa Asburgo.

Ma improvvisamente la tranquillità fu rotta, al primo chiarore di un'alba d'agosto.

Nelle ultime ore della notte, quando il tenente Alfani era venuto col suo plotone a dare il cambio sul posto avanzato al plotone del sottotenente Moro, l'ufficiale che smontava aveva ripetuto al collega il consueto: «Nulla di nuovo». Collocate le sentinelle interne ai noti cinque posti, fatta cambiar la vedetta scoperta sulla piazzuola, assegnato il turno alle quattro squadre, Alfani si era affacciato un momento alla feritoia centrale.

Le stelle palpitavano nella metallica lastra del cielo staccante sulla terra nera, accasciata, appianata e come ripiegata sopra se stessa. La forca dei due Pali e le piramidi delle Grise disegnavano appena il loro orlo corroso dalle tenebre di contro alla massa informe del Montemolon: tutti gli altri accidenti dell'aspro paesaggio restavano avvolti nell'oscurità. Non una bava di vento, non un rotolar di sasso, non una luce umana.

«Borga» disse l'ufficiale al sergente, «prendi tu un poco il mio posto, intanto che vo a riposare fino a giorno».

«Ch'el faga pur, scior tenent, e ch'el staga pur tranquill».

Sonnecchiavano un poco tutti, sulla paglia dei ricoveri, sdraiati lungo le due scarpe della trincea e sulle banchine, e anche in piedi, con l'arma a fianco: tutti, tranne l'ufficiale in fondo alla cavernetta arretrata, nascosta alla vista del nemico, dove aveva sede il comando del reparto.

C'era venuto tante volte, Alfani; ci tornava ogni due giorni da due mesi, dacché lo avevano trasferito in quel settore dove la guerra stagnava; ma non si era mai sentito tanto nauseato in quella tana oscura e fetida, tanto a disagio su quel saccone che pareva pieno di patate, tanto stanco di quel servizio regolare e monotono più che in guarnigione, tanto logoro da quella vita da castoro, fra sasso e guazzo. Il pericolo era lontano; ma cento e mille volte meglio il pericolo, meglio le avanzate sotto il fuoco nemico, meglio gli urti contro i reticolati, meglio le ferite come quelle delle quali portava i segni sulla manica e i premii sul petto; meglio la morte in campo, che quell'inerzia snervante, quella sospensione nel vuoto, lo stillicidio di quel tedio, le mille punture dei disagi di tutti i giorni e di tutte le ore. Dormire, sì: egli voleva perdere la coscienza di se stesso, se fosse stato possibile; ma il sonno fuorviato non tornava, nel gelo di quell'antro la cui bocca cominciava a disegnarsi fra le tenebre: segno che la notte finiva, che un altro di quei giorni eternamente eguali cominciava a spuntare.

E le ondate dei ricordi e la turba dei pensieri e la ridda delle immagini lo travolgevano, nel silenzio che pareva pieno di tanti rumori: fluire di acque, cori di campane, mormorio di folle lontane: quando, ad un tratto... o no?... uno sparo, o un inganno del senso?... Ma sì: ecco: un altro, e altri ancora, tutti da sinistra, dalla parte del Lamagnolo!

Balzato in piedi, l'ufficiale accorse per l'ultimo braccio del camminamento dirigendosi all'ultima traversa della trincea.

«Dove hanno sparato?» domandò alla vedetta.

«Lontan de chi, scior tenente: là de bass, contra l'alter post».

Sopravvenne il sergente, col moschetto in mano, seguito dal capoposto.

«Hanno cagnato 'e truppe 'a chella parte» asseriva il caporale.

«Quii che smontaven avarien sentì!» obbiettava il sottufficiale.

«Hanno cagnato 'e truppe, signor tenente. Chelli Boemi l'avevano ditto, che non avressono sparato!».

«È possibile» mormorò l'ufficiale.

«Ma a st'ora chi, i proeuven contro i tignoeul[1] i so cartucc, i cecchi del Cecco Beppo?... Chi l'è che podarìa cascià el nas?».

«Non se sa mai!».

«Vada un porta-ordini a vedere cosa succede».

Ma, prima che il soldato si avviasse, uno degli uomini del posto di collegamento venne a portare un biglietto scritto con la matita, dove l'ufficiale lesse:

«*Ore 4 e 10. Comunico che dalla posizione antistante è stato aperto fuoco di fucileria senza effetto. Ma il fatto rivela un risveglio che richiede più attiva sorveglianza. – Marini*».

«Magari!...» pensava Alfani, avviandosi al posto centrale, lieto che una qualunque novità lo traesse da quella mortificazione intollerabile; ed era ancora per via quando, come di risposta al pensiero suo intimo, echeggiò, sempre dalla stessa parte, il sordo cre-

[1] I pipistrelli.

14

pitìo d'una raffica di mitragliatrice, simile al lontano scoppiettare d'una motocicletta che serpeggiasse per le giravolte alpestri.

Un soldato, venuto fuori dalla buca e affacciatosi con le mani in tasca a uno spiraglio, canticchiò tra i denti:

Spunta l'alba del sette agosto,
scomenzia el fogo de fanteria...

«Ma non si perde nessun compagno!» gli die' sulla voce l'ufficiale.

La seconda strofa avrebbe detto infatti:

Per le vette da conquistare
abbiam perduto tanti compagni,
tutti giovani sui vent'anni:
la sua vita non torna più!

Contento d'aver prevenuto il senso della tristezza espresso da quel canto, Alfani si affacciò alla feritoia che gli serviva da osservatorio, appuntando il cannocchiale sulla linea nemica.

Già troppo bene dissimulata, essa non si poteva discernere contro la luce saliente dietro il Montemolon.

«Be', ragazzi» disse ai suoi uomini, «se hanno voglia di rompersi le corna, li serviremo a dovere, *i camerati*!».

Stette ancora in ascolto, ma non udì altro che il silenzio della montagna.

«Chi è di vedetta al posto del canalone?».

«Vicenzino» rispose il capoposto, storpiando il nome di Visentini come soleva storpiare tutti gli altri. «Ma mo' chesta è l'ora d' 'o cambio».

«Fa' venir qui un momento chi va sulla piazzuola».

«Nummero dodece: ohé, Galletta!».

Mentre i cinque uomini del secondo turno, dal numero 7 all'11, sostituivano i compagni del primo ai posti interni, Caletti, che aveva sentito approssimarsi anch'egli la sua volta, riempiva di bombe a mano il tascapane, nella riservetta.

«Presente!» rispose, udendosi chiamare e accorrendo.

16

Era un ragazzo ancora imberbe, con un viso bianco e roseo che pareva una mela, con occhi chiari, pieni di stupore. Pochissimo amante dei lavori manuali, tutte le volte che bisognava adoperare la piccozza e il badile rispondeva invariabilmente: «Songo malato!» ma Alfani, che conosceva uno per uno tutti i suoi uomini, sapeva di poter fare assegnamento sulla prontezza e il coraggio dell'infingardo quando era il momento di affrontare i nemici.

«Caletti, stammi bene attento, perché quei brutti ceffi si son destati di malumore, stamattina».

«Non dubita, sor tenente».

«Apri bene gli occhi, e a posto!».

Di momento in momento il chiarore del giorno cresceva: il cielo dell'alba luceva come uno specchio freddo e terso; solo un fiocco di nuvolaglia, lungo e sottile, strisciava a guisa d'un serpe sul muraglione del Montemolon e s'insinuava fra le due Grise.

«El promett on'altra gran bella giornada» osservò il sergente.

«Non tanto. Quella bambagia lì non è buon segno».

Riportando lo sguardo sul terreno fronteggiante la trincea, Alfani vide il soldato uscire dal camminamento col fucile a bilanciarm e procedere fra le asperità del passo scoperto, curvandosi appena, con la sicurezza che gli veniva dalla lunga pratica e dalla tranquillità dei nemici.

«No! No!» voleva gridargli, poi che i nemici s'eran destati. «Più basso!... Copriti!».

E parve veramente che Caletti avesse udito le parole pensate dal suo tenente; perché, dinanzi all'ultimo tratto, il più pericoloso, si fermò un momento; poi si buttò in ginocchio, s'allungò e strisciò su per la breve erta, verso la piazzola. Giuntovi vicino, levò un poco il capo, forse nell'udirsi chiamare dal compagno che veniva a rilevare; ma allora, improvvisamente, al sinistro *ta-pum* d'una fucilata, il corpo s'accasciò.

«Porci Croati!».

L'ufficiale non aveva ancora finito di

esprimere il suo rancore, che un altro colpo rintronò: *ta-pum*!

«E due!» disse una voce.

«Visentini!» esclamò il sergente.

«Come, Visentini?... Che ti salta?».

«L'ha minga vist? El Visentini el s'è mo-vu', l'ha miss foeura el coo!... G'han tiraa anca a lu!».

Alfani strinse il pugno e affissò lo sguardo torvo sulla linea nemica, come cercando il punto dove poter ritorcere i colpi.

«Capoposto!» chiamò, voltandosi. «Manda chi viene dopo».

«Siconna squadra; numero uno d' 'o primmo turno!».

Ma poiché nessuno rispondeva, e alcuni esprimevano il loro stupore apprendendo che il servizio della prima squadra era così presto finito, il caporale chiamò per nome:

«Marmotta!... Ahò, Marmotta!... Addo'sta, sto Marmotta?».

Maramotti dormiva, con l'elmo in capo, i ginocchi sul ventre, in fondo al ricovero.

Dormiva d'un sonno greve, dal quale fu tratto a fatica.

«Jammo, Jà, Marmo', tocca a te de vedetta».

Maldesto, il soldato si stropicciò gli occhi, bestemmiando:

«Corpo!... Sangue!... Mi son de vedetta ai cinqu'ôr!... Mi son dopo del Caletti!».

Con la punta del dito il caporale segnò in aria una croce.

«Galletta sta 'mparaviso».

«Cossa?».

«E Vincenzino isso puro!... Emb', jammo, guaglio'... Fa' vede' 'a giberna... 'o fucile... E vatt'a piglià l'ova toste!».

Non capiva ancora, Maramotti. Aveva il fucile carico e la giberna piena, come bisognava; e ora si provvedeva anche di bombe a mano, secondo la prescrizione rammentatagli dal caporale; ma non capiva perché mai toccasse a lui, come mai Visentini e Caletti fossero morti.

«Avanti, avanti Maramotti!» lo spronò l'ufficiale, vedendolo procedere un poco traballante, come avvinazzato. «Tu sei un ragazzo di giudizio, Maramotti?».

Dinanzi al superiore il soldato si riscosse e sgranò gli occhi. Sulla faccia bruna, magra, cotta dall'aria e dal sole, il bianco dei grandi occhi dalle pupille di giaietto pareva latteo.

«Come crede, signor tenente».

«Guarda di non farti beccare anche te. Quante volte ve l'ho detto? Non bisogna esporsi, non bisogna esporsi, non bisogna esporsi! L'ho da porre in musica??».

«Sissior...».

«Oggi i sassi hanno messo gli occhi, da quella parte! Stammi bene attento, che ne va della pelle, ne va!».

«Sissior...».

Buttatosi il fucile a spallarm con la canna in giù, il soldato si diede uno scossone come per assestarsi la roba addosso, trasse il sottogola dal fondo dell'elmetto dove stava calcato e se lo passò sotto il mento: poi s'avviò.

La voce dell'ufficiale lo fece rivoltare:

«E senti un po'...». Dopo una reticenza spiegò: «Porta notizie dei tuoi compagni...

che stanotte penseremo a ritirarli, o vivi o morti...».

Quantunque gli uomini delle squadre a riposo dovessero attendere alla pulizia delle armi e alla manutenzione della trincea e dei camminamenti, buona parte si affacciarono a spiare dai buchi del parapetto, mentre Alfani guardava col cannocchiale, in preda a un turbamento che si studiava di nascondere.

Cessato il rumore dei passi di Maramotti, non si udiva più nulla. La linea nemica pareva morta. Al primo sole la punta del Palalto si accendeva come la bocca di un vulcano; la nuvolaglia torbida stagnava ancora lungo le coste del monte e alla base dei picchi, gonfiandosi e distendendosi pigramente, mentre il cielo settentrionale s'appannava per un gelido soffio.

L'ammonizione del comandante non era andata perduta. Egli si rassicurò, vedendo il soldato uscire carponi dal camminamento e subito dopo gettarsi ventre a terra; strisciare quindi lento e guardingo, a capo basso, poggiandosi sui gomiti e facendovi leva; fermarsi a prender fiato dietro i massi e le gobbe che lo riparavano dalla vista del nemico, per poi riavanzare con la stessa cautela. Giunto dinanzi all'ultimo tratto, il più pericoloso, sostò più a lungo; poi riprese a spingersi su; poi si fermò ancora e mosse appena il capo a destra e a manca, senza sollevarlo, perché aveva dovuto smarrire il senso della direzione; poi si protese ancora, di traverso; guadagnò ancora un palmo di terreno, e poi un altro, fino a raggiungere i piedi del compagno immobile. Doveva averlo chiamato ed essere rimasto senza risposta, perché istintivamente si sollevò un poco a vedere che cosa avesse, ed ecco: *tapum!* si abbatté inerte accanto al corpo inerte.

«E tre!».

«E quattro, e cinque, e sei!» gridò Alfani, torcendo improvvisamente lo sguardo dai caduti e volgendo intorno a sé. «Chi è quel bravo che sa così bene l'aritmetica?».

Nessuno fiatò. Il tenente era molto amato, ma anche molto temuto. Quando assumeva questo tono non si scherzava.

Ma non soltanto la severità del loro comandante faceva muti i soldati. Un senso d'inquietudine si diffondeva tra loro alla vista dei compagni colpiti, al pensiero che chi doveva andare sulla piazzola correva lo stesso pericolo.

«O credete che si possa tralasciar la consegna perché i vostri compagni ci sono rimasti?... Se bersagliano la vedetta è segno che non vogliono esser visti, che preparano qualche colpo, che ammassano gente nel canalone, per piombarci addosso senza mandarcelo a dire, e massacrarci tutti quanti!».

A grado a grado l'acredine della voce si veniva temperando, mentre lo sguardo frugava le posizioni avversarie e la mano stringeva forte il calcio della pistola.

«Ecco perché avranno appostato qualche tiratore scelto, con un fucile di precisione, montato probabilmente su cavalletto!... Sperano che non ci manderemo più nessuno, per poter quindi accomodarsi!... Chi si contenta di lasciarli fare?».

Molti risposero insieme:

«Ma coma!».

«Ma nissun!».

«Abbisogna annà!».

«Chi l'è che dis de no?».

Quando il coro dei consensi tacque, una voce osservò, posatamente:

«Ci va chi l'è di turno».

«Naturalmente! Bella scoperta!... Caporale, chi è di tu...».

Ma prima che l'ufficiale compisse la domanda, Gusmaroli, un altro dei lombardi che abbondavano nel plotone, un ragazzone atticciato e nerboruto, si fece avanti.

«Scior tenent, vo mi!».

«Tocca a te?».

«Nossignor: tocca al Zocchi; ma el Zocchi el g'ha miée e fioeu... E poeu, mi ghe foo vedè a tücc come l'è che se schiva i ball del Cecchin!».

«Bravo, Gusmaroli! Questo è parlar da soldato! Non già stare a cavare i numeri del lotto!... Oh, bene: va'!».

Svelto, giocondo, con l'elmo sulle venti-tré, il volontario andò a fornirsi di bombe, si fece saltare il fucile dalla sinistra nella destra impugnandolo sotto l'alzo, e salutò il compagno al quale si sostituiva.

«Alègher, Zocchi, che vo mi!... Ma com'è? Cosa l'è sto muson?... Te se' no content?... Cosa l'è che te ghet?».

Non pareva molto rassicurato, Zocchi: un anziano dell'84, alto e magro, con sul viso scarno e nelle cave occhiaie i segni delle lunghe fatiche.

«Te spetti dessôra, de chi dò ôr, neh?... Se ghe resti anca mi, te lassi in testament i scatolett!... E manda l'elmo a cà!...».

Zocchi non rise come altri compagni, né gli occhi dissero che egli era grato al volontario per la sostituzione – gli occhi che si volgevano intorno inquieti e sospettosi.

«Alegri, ragassi!... Ciao, caporal!».

E l'ardimentoso s'avviò, regolando il passo col canto:

E mi comandi ch'el mio corpo
in sei tocchi el sia taglià:
el prim tocch al Re d'Italia,
el second tocch al Battaglion!...

26

«Bravo!» ripete forte Alfani, come se il partente potesse udirlo, ma indirettamente parlando ai rimasti. «E bagnargli il naso, a quelli che se la fanno nei calzoni!».

La voce si andava ora spegnendo in fondo al camminamento e le parole si indovinavano più che non si udissero:

El terz tocch a la mia mamma,
per regordagh el so fioeu...
El quart toech a la mia tosa
per regordagh el prim amor!...

L'esempio, il canto avevano dissipato il senso di freddo diffuso nella trincea. E quantunque le parole fossero tristi, parecchi canticchiavano allegramente, o fischiettavano, e il coro sommesso compiva la canzone perdutasi nella lontananza:

Il quinto pezzo alle montagne,
che lo fiorisca di rose e fior:
il sesto pezzo alle frontiere,
che si ricordi del fucilier!

Poi Gusmaroli apparve fuori del camminamento, ritto quant'era lungo. Voltosi verso i compagni, levò l'arma in segno di saluto
e si lanciò di corsa verso l'appostamento.

Alfani sentì rimescolarsi il sangue dal-
l'ammirazione e dall'angoscia. Ma, rapidamente spostandosi, il corpo del soldato poteva meglio sfuggire alla mira, e giunto sulla piazzola il parapetto lo avrebbe coperto.
Vi fu in un lampo, entrò nel raggio di sole
che scendeva allora dal Palalto, e prima di
accosciarsi si voltò ancora una volta verso i
compagni agitando trionfalmente il fucile;
poi l'arma gli sfuggì di mano e le braccia
batterono l'aria e il corpo cadde riverso,
mentre la fucilata echeggiava di balza in
balza.

Tutti i cuori tremarono; la voce dell'ufficiale gridò:

«Borga! Dov'è il porta-ordini?».

«Travelli!» chiamò a sua volta il sergente.

Travelli accorse, intanto che Alfani scriveva rapidamente qualche rigo sopra una
pagina del suo taccuino.

«Corri subito al comando del Battaglione: hai capito? Di' che mi mandino uno scudo da parapetto: questo è il buono di prelevamento: hai capito?».

«Sciorsì» e fece per andare.

«Un momento!».

Tracciate ancora poche parole sopra un altro foglio, per riferire la novità, consegnò anche quello.

«Al signor maggiore in persona. E portami lo scudo! Se non c'è al Battaglione cercalo al Reggimento: non perdere il tempo in chiacchiere: scappa!».

Poi, brevemente, al capoposto:

«A chi tocca?».

Si avanzò Zocchi, già in pieno assetto, tacitamente preparatosi dopo aver visto cadere il compagno. Lo presentiva, che la sua volta sarebbe subito venuta: per questo non si era molto rallegrato della sostituzione, del troppo breve respiro. E pareva ora più piccolo che non fosse, perché teneva le spalle leggermente aggobbite e il capo un poco chino sotto il peso dell'elmetto acciaccato e calcato molto basso. Sarto a casa sua, provvidenza dei compagni tutte le volte che avevano strappi e sdruci da farsi rammendare, non era molto marziale, Zocchi, in verità, con quel suo viso largo di zigomi e appuntito sul mento, un gran naso sottile, gli occhi piccoli e fuggenti, il collo lungo e scarno, le orecchie grandi e spalmate come manichi di pignatta.

«Animo, Zocchi: tocca a te».

La testa si chinò ancora un poco, per dir di sì.

«Tu sei un ometto a posto... Senza spavalderie, dunque, che costano caro».

S'avviò senza aprir bocca, l'anziano. Quando stava per imboccare il camminamento, si fermò come se avesse dimenticato qualche cosa e tornò sui propri passi.

«Che c'è?».

Sollevato lo sguardo in faccia all'ufficiale, inghiottì in modo che il pomo di Adamo gli viaggiò per il collo; poi disse, con stento:

«Sor tenente, io ci ho moje e tre bambini... Caso mai, il Governo ce pensa lui, alla mia famija?».

«Ma sì: il Governo ci pensa, ci penserà: lo sapete tutti che il Governo ci ha pensato!... Ma stammi allegro, perdio! Cos'è sta fifa?».

La paura era nel suo sguardo tremulo, nelle sue labbra pallide, nei suoi ginocchi che si piegavano, nella mano che pareva sul punto di abbandonare il fucile.

E Alfani lo conosceva anch'egli il brivido tremendo dinanzi al pericolo certo, presente, inevitabile. Finché la minaccia è imprecisata, nello scoppio d'una granata che non si vede arrivare, in una raffica di mitragliatrice o in una scarica di fucileria inaspettata, che possono e non possono colpire, il coraggio riesce ancora facile; ma se la morte è acquattata, vigile, pronta a balzare e a ghermire; se bisogna andarle incontro fissandola negli occhi, senza difesa, allora i capelli si drizzano, la gola si strozza, gli occhi si velano, le gambe si piegano, le vene si vuotano, tutte le fibre tremano, tutta la vita sfugge; allora il coraggio è lo sforzo sovrumano di vincere la paura; allora la volontà deve irrigidirsi, deve tendersi come una corda, come la corda del beccaio che trascina la vittima al macello.

Un senso di rimorso vinceva il cuore dell'ufficiale dinanzi al soldato immobile e muto: il rimorso d'avere augurato che i nemici si ridestassero, se il risveglio doveva consistere in quell'eccidio; e un prepotente bisogno di evitare il pericolo a quello sciagurato; e una pena ineffabile per non trovare il come.

«Via, Zocchi: tu hai fatto la guerra, tu sai che le pallottole sono cieche, che il nostro destino è in mano di Dio. Guàrdati, e va'!».

Sopraggiungevano in quel punto gli uomini di *corvée*, col calderotto del caffè, per la distribuzione mattutina. I soldati porgevano le gavette, nelle quali il distributore versava la bevanda attinta con la tazza dal lungo manico.

«Chì, vôiu» chiamò il sergente. «Servii prima el scior tenent!».

«No, grazie».

Non si sentiva di prender nulla; volle seguire l'anziano che già procedeva lungo il fosso, che si traeva da parte, nei cunicoli; per lasciar passare gli uomini che risalivano. Lo raggiunse mentre stava per entrare nel camminamento; gli raccomandò:

«Bada a tenerti più sulla sinistra, Zocchi, che il terreno è più riparato».

«Sissignore».

«E di buon animo; che se spunta il solo naso d'un austriaco, te lo concio per le feste».

Ripresa la via, il soldato si fermò un momento allo svolto, si fece il segno della croce e sparì.

Ora gli uomini spezzavano il pane nelle gavette, vi facevano la zuppa e la mangiavano golosamente. Pochi, oltre le sentinelle, stavano affacciati alle feritoie per veder riuscire i compagni allo scoperto, ma senza smettere di lavorare con i cucchiai e le mascelle.

«Zocchi la fa franca».

«Ghe resta anca lu!».

«Cossa l'è che te scommettet?».

Un umbro disse, sentenziosamente, masticando:

«Pecora nera, pecora bianca: chi more more, chi campa campa».

E un abruzzese cantilenò:

Lu nasce e lu murì, 'icca Quagliuccia,
vanne accucchiate come la saggiccia[1]...

Per poco non impegnarono scommessa sul destino del compagno, sfamandosi con la zuppa dolce e calda, accendendo le pipe, divenuti filosofi col risveglio degli istinti egoistici, mentre invisibili occhi, dirimpetto, fra le nude rocce aspettavano al varco il predestinato.

A un tratto, nella gran pace, un sibilo, uno strido, e poi, più netto, un crocchiar cadenzato, per aria, sul canalone.

«I scorbatt!».[2]

Roteavano altissimi, digradando lentamente verso la piazzola, attirati dall'odore del sangue.

«Spetta, carogna!».

Una fucilata li disperse e Alfani non eb-

[1] Il nascere e il morire, piccola Quagliuccia, sono attorcigliati come una salsiccia.
[2] Corvi.

be cuore di rimproverare chi trasgrediva il divieto di tirare senza ordini.

«Ma Zocchi?» domandò ai graduati. «Com'è che non spunta ancora?».

«Va' ti a vedè!» ingiunse il sergente al caporale.

Ed ecco, nel silenzio tornato profondo, un altro suono, il suono d'una voce lontana... Un lamento?... Sì, ecco: un *Ahi!* e poi ancora, lunghi e fiochi, altri *Ahi! Ahi!*...

Alfani volle poter dubitare.

«Cos'è?».

«Gh'è on quaichedun, là dessôra, che l'è viv ancamò, scior tenent!» spiegò Borga a bassa voce.

«Non è Zocchi?».

«Nossignor! El sent?...» confermò, più piano. «La ven de pussé lontan, la vôs!».

Ma i soldati avevano anch'essi compreso, e accostati al parapetto, nuovamente turbati e inquieti, scambiavano domande e osservazioni:

«Chi sarà quel disgrassiato?».

«Ha da mori' comm'un cane?».

«Poro fijo de mamma sua!».

Con le mascelle contratte e gli occhi rossi, Alfani tornò a puntare il binocolo sul gruppo dei caduti. Non si vedeva muovere nessuno dei corpi, ma il gemito giungeva più distinto e straziante: *Ahi!... Ahi!... Ahi!...*

Tutto il cielo del nord, dietro il Lamagnolo, appariva ora appreso in una tetra lastra di piombo, mentre stracci di vapori uscivano dal fondo della Fòlpola, come da una caldaia e si alzavano intorno al sole.

Il passo del caporale che tornava fece rivoltare l'ufficiale.

«Ebbene, Zocchi?».

Il graduato restò un poco in silenzio.

«Si può sapere dove s'è cacciato?».

«Signor tenente, s'è sciogliuto 'o corpo...».

Ma subito dopo più voci annunziarono:

«Eccolo, Zocchi!».

Riappariva infatti in quel punto fuori del camminamento. Sporse prima la testa; poi la ritrasse; poi si gettò a terra.

Impossibile essere più guardinghi.

Schiacciato, spiaccicato, Zocchi pareva fare una cosa col suolo. Nondimeno avanzava, impercettibilmente, senza lavorare di gomiti per non sollevarsi d'una linea, cercando a tastoni con le mani e i piedi le sporgenze alle quali s'afferrava per tirarsi su o s'appoggiava per spingersi innanzi. Quando uscì nel terreno più scoperto fu visto obliquare a sinistra e poi annaspare senza che si comprendesse perché; forse per essersi impigliato, lui o il fucile; e a un tratto la canna dell'arma emerse: immediatamente rintronò la schioppettata austriaca seguita da un grido lacerante e da voci furenti e minacciose:

«Ciappa su!».

«A ti!».

«Mori ammazzato!».

E, di scatto, parecchi colpi partirono.

L'ufficiale tacque ancora a quella nuova infrazione della consegna. Come incolpare i soldati se, esasperati nel vedere cadere tanti compagni, non potevano trattenersi dal difenderli contro il rostro dei rapaci e dal rispondere ai nemici, sia pure invano?

Ora lo faceva anch'egli, mentalmente, il conto che facevano tutti: cinque colpiti, tra morti e mal vivi, senza che si potesse pensare a ritirarli, senza che si potesse soccorrerli. Aveva anch'egli il petto oppresso dall'angoscia che stringeva tutti, ormai, i primi del turno come i più lontani; perché il turno si svolgeva troppo rapidamente, perché quanti tentavano di raggiungere quel posto maledetto tanti ce ne restavano.

E lo pensava a sua volta, ciò che qualcuno cominciava a dire sottovoce:

«Non c'è mica gusto, a fass'ammazzà così!».

«Passiensa ciapè d'le bote; ma sôssì a s'ciama fè la mort d'l ratt!».

Era stupido e crudele, infatti. Lo scudo non veniva; ma, se anche fosse venuto, come adoperarlo? Buono a riparare una persona ferma, non sarebbe riuscito facile spingerlo dinanzi, su quella via crucis! Rinunziare al distacco della vendetta, bisognava; non tener conto della consegna, dell'insistenza con la quale tutte le ispezioni, dalle quotidiane del

38

maggiore a quella passata due giorni innanzi dal generale brigadiere, avevano dimostrato l'estrema necessità della vigilanza all'imbocco del canalone. E questa facoltà, appunto, Alfani sperava e aspettava da un momento all'altro che i capi gli dessero, dopo aver saputo che cosa accadeva. Ma nessuno rispondeva nulla, e contro i lontani Comandi, contro i pezzi grossi ben tappati al sicuro da ogni pericolo, andavano le mormorazioni dei soldati esposti a morte certa, inutile e ingloriosa.

«I *luserton* dàn i orden, e nun se ghe lassa la pell!».

«Perché a ven nen sì a vëdde ch'nt côl post a l'è nen pôssibil d' riparesse?».

«Chi sta bene nun se move!».

«Dura la guerra, che mi resisti!».

E molti ripeterono, ridendo amaro:

«Dura la guerra, che mi resisti!».

Era la frase ironica, il ritornello mordace col quale gli umili fanti che si logoravano nei fossi delle trincee, che sostenevano tutte le fatiche, che affrontavano tutti i pericoli, che pativano tutte le torture, esprimevano il

cruccio e lo sdegno contro i fieri proponimenti ostentati dagli imboscati, dagli eroi da
poltrona, dagli speculatori che lucravano
sulla grande sciagura.

Alfani finse di non avere udito.

«Sta' qui un momento» disse al sottufficiale che non gli si staccava dal fianco e non
lo lasciava con gli occhi, «io torno subito».

Avviatosi alla cavernetta, accanto alla quale stava il posto telefonico, chiese al telefoni-
sta di dargli la comunicazione del Comando
di linea e portò il ricevitore all'orecchio.

«Pronto?... Pronto!».

«Chi parla?».

«Posto numero dodici: e io?».

«Comando linea».

«Parlo con l'aiutante maggiore?».

«Con l'ufficiale di servizio».

«Preghi allora il signor colonnello che
faccia aprire un fuoco di rappresaglia contro
il quadretto[1] diciannove...».

«Come?».

---

[1] Una delle sezioni in cui era divisa la carta topogra-
fica della zona nemica.

«Dieci e nove: quadretto diciannove. Chiedo un tiro di rappresaglia perché mi hanno ucciso cinque uomini, mi uccidono tutti gli uomini che mando alla vedetta del canalone».

«Uccisi? Cinque uomini?».

«Uccisi, buttati giù, rimasti lì, dove non è possibile mandare a ritirarli, se non vien buio. Il posto è pericoloso, stamane i nemici si sono ridestati...».

«Han cambiato i Boemi con gli Ungheresi».

«Lo aspettavo!».

«Raddoppi d'attenzione, perché c'è ragione di temere una sorpresa».

«Appunto: dicevo che la piazzola è rimasta sguarnita».

«Ci mandi altri, perdio!».

«Me ne gettano a terra quanti ce ne mando!».

«Ce ne mandi tanti finché i caduti formino parapetto!».

«Non si era potuto alzare un riparo per la configurazione del terreno...».

«Lo faccia alzare adesso!».

«Impossibile, di giorno».

«Allora, s'arrangi!».

«Appunto: torno a pregare il signor colonnello...».

«Il signor colonnello dorme, a quest'ora».

«Prego lei, allora, d'ordinare che l'artiglieria apra il fuoco».

«I grossi calibri dipendono dal Corpo d'armata».

«Dia l'ordine alla batteria da montagna... E telefoni, se crede, al Corpo d'armata... Come?... Non capisco... Pronto?... Pronto!... Va bene?... Va bene!».

Fuori, un brivido passava per l'aria: il sole s'oscurava, raggiunto dal gelido cirro che si dilatava dal nord: tutte le insenature delle valli, tutte le spaccature dei precipizii esalavano globi e spire di vapori che formavano come un tempestoso oceano aeriforme sull'oceano di sasso.

E neanche dal tiro dei cannoni Alfani si riprometteva gran che. La linea nemica era troppo bene incassata e nascosta; l'assassino dei suoi uomini doveva esser ficcato dentro qualche crepaccio, dove il fuoco non lo avrebbe disturbato. Tuttavia bisognava fare quella prova... o aspettare che i caduti formassero parapetto.

In mezzo ai soldati, egli portò un volto ilare e un atteggiamento sicuro.

«Contenti ragazzi: che i nostri poveri compagni saranno vendicati... Sentirete che musica, a momenti... Intanto, chi è di turno si tenga pronto».

«Tocca a Ricci, scior tenent» rispose Borga.

«Ricci!... Ricci!».

Il nome fu ripetuto dall'uno all'altro, lungo la trincea, come per una successione di echi, senza che il chiamato rispondesse.

«Unn'è, stu Ricciu?».

Gulizia, il siciliano, lo trovò nell'ultimo ricovero, inginocchiato dinanzi al tascapane e a un sacco-a-terra dal quale traeva fuori la sua roba.

«Ti voli u tinenti, Ricciu».

Il chiamato, un marchigiano biondo e pallido, alzò in viso al compagno gli occhi chiari e lucenti, scosse il capo, tacitamente denegando.

«Da veru, Ricciu!... T'ha chiamatu u tinenti!».

L'altro negò ancora con la mano; poi disse:

«N'è vera niente, Gulissia. Mi chiama la morte».

Altri compagni si erano affacciati sull'ingresso: nessuno trovò parole da confortarlo. Ma quando egli riprese a sistemare le sue cose, una voce acre disse improvvisamente:

«Si la carne battezzata s'ha da macella' così, porco mondo! sangue de Dio!».

«'En bestemmià, Boratto».

Sempre in ginocchio, tornò a ordinare i suoi cenci, le calze sudice, il colletto a maglia ingiallito dal sudore, il rozzo specchietto che alterava le immagini, il fazzoletto con l'orlo tricolore e la carta geografica nel mezzo, il pettine, un pezzetto di sapone, e ne fece un involto che calcò dentro il sacco-a-terra, legandone poi la bocca con una cima di spago. Restava soltanto un mucchietto di lettere e cartoline, che serbò nella tasca della giubba.

«Fa' coraggio, Ricci: che il tenente ha detto che ci fa sparare addosso l'artiglieria».

«Nun ti scantari[1], ch'a Bedda Matri t'aiuta!».

Egli chinò il capo, lentamente, più volte, in atto d'assenso alle parole della fede. Poi s'alzò, prese il fagotto e andò a deporlo accosto alla parete, sotto il posto dove aveva incollato un'immagine sacra.

«I pagn' i lasc' ma chì... I racmand 'ma te, Dominici».

«Ma no, che te vegneret a toeulli!».

Altri tentarono di soggiungere altre esortazioni, ma non erano sentite. Pochi confidavano nelle cannonate; la Madonna, sì, poteva salvarlo.

E gli cedettero il passo quando, passatosi il tascapane a tracolla e impugnato il fucile, egli uscì per andare a presentarsi all'ufficiale.

[1] Non ti spaventare.

«Comandi, sor tenent!».

Con l'occhio teso dalla parte della Forcella, dov'erano le nostre batterie, Alfani si
rivoltò.

«Sei tu, Ricci?... Bravo!... Ma non è ancora il momento... Andrai appena comincerà
la sinfonia. Andrai al sicuro, mentre non pio-
veranno fichi in bocca a quei briganti!».

«Comm' vol, sor tenent».

Guardò a terra, poi risollevò gli occhi in
viso all'ufficiale.

«Mostra che c'è temp...».

«Di' su!».

A voce bassa spiegò:

«Se lei cred, vorria parlà al Caplan».

Alfani dovette aspettare che si scioglies-
se il nodo dal quale s'era sentito stringere la
gola.

«Ma, ragazzo mio, dove vuoi che lo
prenda, a quest'ora, il Cappellano?... È qui-
stione di minuti... Non posso già mandare a
chiamartelo!... E poi, per farne?».

Con voce ancora più fioca, timidamente,
il soldato rispose:

«S'aveva temp, me vleva confessà...».

Come rispondere? Che cosa dire?... Inutili le parole d'incoraggiamento: il giovane, uno dei più miti e timorati, andava a morire sapendo di andarci, chiedendo soltanto l'estremo conforto che si concede ai condannati, e che lui non si poteva procurare.

«Vieni qui!... Più vicino!...».

Paternamente, l'ufficiale posò una mano sulla spalla del credente e lo guardò negli occhi.

Credeva anch'egli, dacché stava in faccia alla morte. Aveva visto, aveva sentito quanta forza era nei pensieri augusti. Aveva piegato la fronte, ascoltando la messa al campo, dinanzi agli altari improvvisati, sotto la maestà del cielo. Aveva visto i suoi soldati proni, supplici, oranti, tutti, i più rozzi, i più tristi, i più restii, come piegati, come abbattuti da una mano possente; li aveva sorpresi nell'atto che baciavano gli scapolari donati dalle madri, le figure trovate nelle lettere, distribuite dal Cappellano. Non li aveva egli stesso guidati all'assalto gridando, nell'atto che impugnava e levava alto la pistola: «Avanti, figliuoli, nel nome di Dio...?».

Allora, come nei casi estremi dei quali non rammentava se avesse letto o udito narrare, come sopra una nave in mezzo all'oceano, come nelle solitudini del deserto, quando dinanzi a un uomo che muore il capo o il compagno assomma in sé tutti gli uffici e si trova naturalmente investito di tutte le potestà, egli proferì, calcando la mano sulla spalla della vittima:

«Raccogliti in te stesso, fa' il tuo esame di coscienza, pèntiti dei tuoi peccati, prometti che seguirai la retta via se scamperai, e il tuo tenente che è qui con te, esposto alla morte come te, ti dice che sei assolto».

Quel semplice comprese, compresero tutti i suoi compagni che le parole del loro comandante erano giuste, e che il prete non avrebbe potuto dire di più.

Ma il designato non si moveva ancora. Reggendo il fucile fra le gambe accostate, cercò nella tasca il pacchetto delle carte, lo trasse con la mano ossuta dalle dita grosse

con le unghie larghe e piatte, e fece per por-
gerlo.

«Quest ma chi èn letter de casa mia... C'è
anca quatter strasc in una gluppa, si dei vlet
mandai al sindac del me paes, quand che
j'arriverà la notissia».

«Da' qui! sta pur tranquillo!».

A quelle parole il soldato si curvò, prese
la mano dell'ufficiale e la portò alle labbra.

Egli voleva ritirarla, ma comprese di non
dovere, di non potere impedire la manife-
stazione dei sentimenti di quell'umile cuore.
Però, obbedendo a un prepotente impulso
del cuore suo proprio, passò il braccio attorno al collo del giovane e gli stampò due
baci sulle guance.

E a un tratto, uno schianto.

«Santa Barbara!».

Tonarono tutte insieme le batterie della
Forcella; i grossi calibri e i piccoli: la terra
tremò, l'aria fu tutta sibili, rombi ed esplo-
sioni.

«Ora corri! Profitta del momento, ché il
tiro durerà pochi minuti».

Ricci andò di corsa, sotto le raffiche, in mezzo al fragore della tempesta di fuoco; fu visto uscire dal camminamento, curvo, con l'arma a crociatet[1], come un cacciatore in agguato e gettarsi a terra.

Il tiro si prolungò ancora un poco, le granate e gli *shrapnels* picchiettarono le rupi tenute dal nemico; poi la pioggia di ferro ardente cessò.

Tutto il cielo era coperto, oramai; i vapori sorti dal basso si confondevano con quelli dilaganti dall'alto; i particolari del sinistro paesaggio venivano sparendo nell'uniforme grigiore, mentre sulle Grise ondeggiavano le nebbie precorritrici della pioggia.

«Ma che fa Ricci?» esclamò l'ufficiale.

«Gh'è restaa» rispose Borga piano, perché i soldati non udissero.

«Ma no, che dici!».

«Gh'è restaa, scior tenent, appena foeura del camminament!... El Cecchin l'è al sicur; l'avarà giamò rettificaa la mira!».

E nel silenzio tornato sovrano, nel tene-

[1] Con il calcio sotto l'ascella.

50

brore del cielo sovrapposto al tenebrore della terra, ricominciarono a venire, dal gruppo dei caduti, le voci di lamento, più forti e più lugubri, gli *Ahi!... Ahi!...* prolungatisi invano in *Aiuto!...*

A pugni stretti, fremente, Alfani fissava la piazzola. Mai, in due anni di guerra, nelle mischie terribili, sotto il grandinare della mitraglia, fra le messi sanguinose degli uomini falciati a manipoli, a schiere, egli aveva provato il capriccio che ora lo invadeva dinanzi a quella lenta, metodica e inutile strage. Nelle circostanze più gravi, nelle situazioni più imbarazzanti, per temperamento e per ragionamento egli era stato sempre certo di non sbagliare attenendosi strettamente alla consegna; ora no, ora esitava, ora sentiva che quella consegna costava già troppe vite.

Infrangerla? Assumersi la responsabilità delle conseguenze? Il Consiglio di guerra, allora; il plotone di esecuzione... Ah, no! Una pistolettata nella tempia, prima!... O andare sulla piazzola, piuttosto: accorrere presso i caduti, piantarsi egli stesso al posto dei suoi soldati!

E mosse un passo.

Ma Borga, che ne spiava le mosse, che gli aveva letto in viso, levò la voce:

«A chi l'è che tocca?».

«Nummero uno d'a siconna squadra!».

Tutti gli uomini del secondo turno della prima giacevano a terra.

«Morana!» chiamò il capoposto.

Nessuno dei soldati ripeté il nome, mentre il nuovo chiamato si avanzava, pallido ma con passo fermo.

Era un prode, un veterano d'Africa: aveva il petto fregiato del nastrino azzurro per una medaglia di bronzo guadagnatasi in Libia con una motivazione degna di quella d'argento. Bel giovane, alto, forte, animoso: Alfani lo aveva esperimentato in molte occasioni, e sempre se n'era lodato, predicendogli che quel nastrino ne avrebbe presto figliato altri.

Poiché l'atroce ingranaggio ricominciava a funzionare, poiché il destino inesorabile doveva compiersi meccanicamente, egli disse, studiandosi di dare fermezza alla voce:

«Be', Morana: questa è la volta di far vedere come si compie il proprio dovere».

Senza lasciare con gli occhi gli occhi del superiore, il soldato rispose:

«Signor tenente, io non ci vado».

Alla prima, Alfani credette d'aver frainteso.

«Cos'hai detto?».

«Signor tenente, io non ci vado».

Invaso da un immenso stupore, l'ufficiale volse lo sguardo agli astanti.

Taciti, immobili, agghiacciati; evitavano tutti di guardare il loro comandante, evitavano di guardarsi tra loro. L'orrore di ciò che avevano visto era superato dal terrore di ciò che udivano, da quel rifiuto d'obbedienza freddo, risoluto, premeditato.

E dinanzi all'inaudito rifiuto il sentimento della disciplina insorse nella coscienza dell'ufficiale.

«Avete sentito, voialtri?».

Nessuno rispose.

Egli rise d'un falso riso.

«Oh, oh!... Questa davvero che è nuova!».

Poi non volendo e quasi non potendo credere:

«Andiamo, Morana: guarda che non è tempo da scherzi. Piglia il tuo fucile, e svelto!».

Parve un momento che lo sguardo del soldato si smarrisse. Poi diede un lampo, e la voce strozzata ripeté la terza volta:

«Signor tenente, io non ci vado».

Alfani avvampò. Appuntandogli un dito contro il viso terreo e avanzandosi d'un passo, esclamò:

«Tu?... Sei tu che ti neghi?... Un valoroso come te?... O non sei più il Morana del Passo dell'Antenna e del Casello di Breno? O non sei più quello che ha visto a faccia a faccia i diavoli di Libia e li ha fatti scappare?».

Improvvisamente, il soldato fu preso da un tremore che dalle mani e dalle braccia si diffuse a tutta la persona.

E anche Alfani rabbrividì, mentre per l'aria agghiacciata stillavano le prime gocce di neve strutta.

«Ma cos'è?... Hai paura?... Anche tu?».

Gli occhi smarriti, le labbra paonazze dicevano di sì, che egli aveva paura, tanta paura, una paura folle, ora che non si doveva combattere in campo aperto, ora che l'orrida morte era accovacciata lassù.

E la pietà, una pietà impotente, tornò a invadere il cuore dell'ufficiale dinanzi a quell'uomo che la legge della guerra gli dava il diritto di uccidere.

«Ma tu non sai che cosa significano le tue parole? Lo sai, è vero, che cosa importa rifiutare un ordine, qui?».

Gli occhi, i soli occhi assentirono.

«O dunque, va'!».

Non rispose, ricominciò a tremare, arretrandosi come per istinto: e Alfani raccolse tutta la sua forza per riprendere a esortarlo:

«Or, via, non me lo far ripetere!... Vedrai che l'austriaco non tirerà... Aspettiamo un poco, crederanno che abbiamo rinunziato a staccar la vedetta... Farò riprendere il fuoco dell'artiglieria, finché non lo ridurremo a star zitto!».

Ma l'altro si traeva ancora in dietro, quasi sotto la minaccia del colpo mortale; e non tanto il rifiuto quanto l'irragionevolezza dalla quale gli pareva dettato arrovellò l'ufficiale.

«Ma come?... Preferisci sei pallottole nella schiena a una che può anche lasciarti vivo?».

La morte, infatti, stava dinanzi al soldato; ma più certa e inesorabile e ignominiosa lo guatava anche alle spalle.

Né lo sciagurato traeva più indietro il capo: lo abbassava, anzi protendendo tutto il corpo, come sul punto d'esser abbattuto dalla molteplice e infallibile scarica.

Con più duro sforzo, con voce velata dalla commozione, Alfani riprese:

«E forse che non siamo qui tutti per dare la nostra pellaccia?... Non ci siamo preparati tutti a crepare, dal giorno che partimmo?... Vuoi proprio mettere con le spalle al muro il tuo tenente che ti vuol bene, che vi vuol bene a tutti, che darebbe la sua vita per quella dei suoi ragazzi?... Gli ordini, li sai?... Lo sai, che io debbo eseguirli?».

Vedendo che gli sguardi del tremebondo si volgevano ora ansiosi e supplici ai compagni, egli incalzò:

«O vorresti che andasse ancora un altro?... Ma lo sai anche da te che il turno è sacrosanto, se non ci sono volontari».

Poiché lo sciagurato non si muoveva e si guardava ancora attorno, Alfani gridò sdegnosamente rivolto ai suoi uomini muti ed esterrefatti:

«Soldati! Qui c'è un vigliacco che vorrebbe esser saltato».

Alla sferzata Morana sussultò, alzò il capo, e le guance livide, investite dalla pioggia, furono rigate da grosse gocce che parevano lagrime.

«Chi di voi vuol prendere il posto del vigliacco?».

Risposero il silenzio delle altitudini, i rantoli dei caduti e il gracchiar dei rapaci roteanti di nuovo sulla piazzuola.

«Allora, se non va nessuno...».

E invaso dal disgusto, dal corruccio, dal ribrezzo, in una violenta reazione di tutto l'intimo essere suo, scotendo da sé la viltà dalla quale si sentiva guadagnare anch'egli, rompendo il ferreo cerchio dal quale si sentiva serrare, Alfani afferrò il moschetto del sergente rimasto appoggiato contro la scarpata interna, e si slanciò verso il pericolo in mezzo alle prime folate di nebbia che giungevano sulla trincea.

Ma si sentì tosto inseguito, afferrato e trattenuto. Rispettoso ma concitato, il sottufficiale lo richiamava in sé, disarmandolo.

«Scior tenent!... Cossa el fa!... Lu el po minga!».

«Lasciami andare, perdio!».

«Lu no!... Lu el dev no lassà el so post!...».

Poi, tornando indietro, deposta l'arma dentro un cunicolo, investì violentemente il soldato:

«Insomma, Morana: te vet, sì o no?».

«E gli dànno anche le medaglie!» gridò Alfani riavvicinandosi, in preda a un'eccitazione terribile dinanzi alla persistente immobilità e al cieco diniego di quell'uomo. «E portano il segno del valore!».

Parve che si desse un pugno in petto; ma col gesto violento si strappò i nastrini, e li buttò a terra.

«Via, questi stracci, se han da portarli i vili!».

Il tremore del soldato crebbe, spaventosamente; le stesse labbra scomparvero dalla faccia cadaverica.

Nel silenzio attonito, più greve, ovattato dai vapori, una voce annunziò:

«L'ispession!... El scior maggior!...».

Afferrato allora il riluttante con le due mani per le spalle, Borga lo scosse forte, e gli gettò in faccia:

«Di', vôi, come l'è che femm?».

Improvvisamente gli occhi di Morana lampeggiarono, mentre il corpo si torceva per sottrarsi alla stretta:

«Ecco... così...».

E prima che nessuno avesse tempo di comprendere che cosa volesse dire, che cosa stesse per fare, corse lungo il fosso, fino al cunicolo, si chinò ad afferrare il moschetto, ne appoggiò al ciglio di fuoco il calcio, se ne appuntò la bocca sotto il mento, e trasse il colpo che fece schizzare il cervello contro i sacchi del parapetto.

Postfazione
di
Antonio Di Grado

L'ultima trincea

Pubblicato nel 1921, "La paura" è il più crudo fra i racconti che Federico De Roberto dedicò al recente conflitto mondiale; ed è il frutto più aspro e il più memorabile esito dell'ultima produzione del prolifico autore dei Vicerè, *addirittura fra le prove più eminenti di tutta l'opera sua. Un canto del cigno, meglio ancora un ruggito: di rabbia impotente, di sorda protesta.*

Già l'incipit saggistico, accoratamente sentenzioso («Nell'orrore della guerra l'orrore della natura...»), è segno di un mutamento d'approccio e di registro rispetto agli altri racconti, che si avvale dell'esperienza del pubblicista e dello storiografo, ma che subito si scioglie nel fitto dialogo mistilingue che *serpeggia nelle trincee. La rappresentazione dei fanti che vi marciscono è impietosa, aliena da concessioni alla retorica patriottarda o populista: il protagonista non è il tenente Alfani, l'ufficiale-intellettuale che, anzi, vede vanificato il suo ruolo di mediazione paternalistica dalla logica assolutamente cieca – e in nessun modo giustificabile – d'una guerra che è solo insensato massacro. A reclamare il ruolo di protagonisti sono, viceversa, quegli "spettatori silenziosi", ma dal silenzio affilato come il più tagliente dei giudizi, ch'erano apparsi sullo sfondo nell'*Imperio, *che allora erano operai e ora – finalmente e drammaticamente alla ribalta – sono soldati, gli stessi che Emilio Lussu descriveva in* Un anno sull'altipiano *e Jahièr, di là da un apparente populismo che è religiosa pietas, in* Con me e con gli alpini.

Questo spaccato estremamente veritiero del paese reale non ha certezze da difendere né messaggi da diffondere, e di un solo sentimento è depositario: quello della "paura" più atroce, vale a dire di un immane sgomento di fronte alla guerra, di fronte all'obbligo di uccidere e di farsi uccidere.

L'*"orrore" è, del resto, una parola-tema, un leitmotiv esplicitamente modulato, in apertura, dallo stesso De Roberto: con la stessa disperata consapevolezza con cui l'aveva gridato il Conrad di* Cuore di tenebra *(«The* horror! the horror!*») e lo ripeteva, nello stesso anno della "Paura" derobertiana, l'Eliot della* Terra desolata. *Quanto alla vicenda, è scarna come la scrittura, e finalmente libera dell'ingombrante presenza di personaggi giudicanti: il fuoco inesorabile di un cecchino nemico uccide, uno a uno, i soldati che tentano di raggiungere un posto di vedetta sguarnito; col numero dei morti cresce il panico dei vivi che lo scrittore rende facendo ricorso alle immagini della più cruda fisiologia, nonché alle diverse tipologie dei fanti e soprattutto alle diverse parlate dialettali. La consueta tecnica contrappuntistica qui è affidata ai dialetti, come nel "Rosario" o nella "Messa di nozze" alle formule liturgiche, nei* Viceré *agli scrittori d'araldica o nell'*Imperio *agli oratori parla-*

mentari: ma in funzione, questa volta, di una tensione a dare la parola a chi ne è privo, a testimoniare una realtà regionale, a onta della propaganda ufficiale, tutt'altro che omogenea e integrata. «Ora che l'Italia è fatta – aveva detto il duca d'Oragua nei Vicerè *– dobbiamo fare gli affari nostri»: già allora non si pensava più a «fare gli italiani», come aveva auspicato il buon D'Azeglio, in quelle pagine parafrasato e deriso, in queste drammaticamente smentito.*

L'ultimo dei prescelti è Morana: ma è proprio il giovane aitante e pluridecorato, il tipo di eroe mitico dell'agiografia bellicista, a rompere il cerchio apparentemente invalicabile di quella folle corsa verso la morte, prima col suo fermo rifiuto, poi con l'impudica esibizione del proprio terrore, infine tirandosi «il colpo che fece schizzare il cervello contro i sacchi del parapetto».

Un ultimo quadro di irredimibile orrore; e un ultimo sinistro feticcio, quel moschetto appoggiato «sotto il mento», per celebrare la macabra (e novecentesca) gloria del gesto in-

consulto, che non chiede né concede ombra di giustificazioni né velo di compassione. Su quest'immagine, su quell'arma stretta in pugno come il mazzo di carte della principessa di Roccasciano o il rosario della baronessa di Sommatino o l'aborto sottovetro di Chiara Uzeda, torve matriarche di un'aristocrazia marcescente, si chiude la galleria dei personaggi e delle invenzioni del nostro spietato naturalismo: sul "vinto" Morana, sulla sua tragica e primitiva ostinazione che è la stessa di Rosso Malpelo, su questo personaggio che è, come già suggeriva Luigi Russo, «l'ultimo dei cocciuti, che, come tutti gli ossessi dei Vicerè, conduce fino all'estremo limite la sua logica testarda».

E ancora Russo scriveva che il drammatico epilogo del racconto è tutt'uno con la «catastrofe dello scetticismo dello scrittore», anche lui, come Morana, «tragico eroe testardo». Di fronte a una realtà brutale come quella della guerra di trincea, così come di fronte alla pura negatività del Potere sperimentata nei Vicerè e nell'Imperio, si ripete lo scacco dell'impegno conoscitivo di De Roberto. La conoscenza non può servire a modificare una realtà assunta come immutabile, ma, appunto, a conoscere soltanto. Nell'impatto, crolla il sistema e resta il puro metodo, privo di ogni riferimento. Con un destino che è comune a quello di tanti tentativi tardottocenteschi o primonovecenteschi di formalizzazione della realtà sociale (da Mosca a Pareto e a Sorel), il tentativo di instaurare un approccio scientifico conduce, paradossalmente, al relativismo più assoluto, alla scoperta della tendenziale illogicità e antiscientificità del reale.

Resta, in De Roberto, il metodo, e cioè il crudo realismo dei Vicerè affrancato da ogni intenzione ideologica o valenza analitica e anzi abbinato, in una stridente dissociazione, a un moralismo rinunciatario e legittimistico: contraddizione, questa, presente nelle pagine dell'Imperio così come negli scritti di guerra.

Di guerra, della Grande Guerra prima annunziata e poi patita, lo scrittore aveva cominciato a trattare al culmine di quel soggiorno romano che fu per lui, all'inizio del nuovo secolo, *l'ultima evasione e l'ultima chance prima di essere risucchiato per sempre dal vorace amore materno nel grembo soffocante della provincia;* e lo vide – lui che nella stagione milanese degli anni Novanta dell'Ottocento aveva pubblicato alacremente, *dai* Vicerè *alla saggistica e agli articoli per il* Corriere della sera! – *aggirarsi fra aule parlamentari, redazioni e alcove cercando invano spunti e ispirazione per* L'imperio, *il "libro terribile" sulla capitale del malgoverno che rimarrà incompiuto.*

Intanto collaborava con il Giornale d'Italia, *il quotidiano diretto da Alberto Bergamini (oggi celebrato come l'inventore della "terza pagina" e allora considerato il portavoce di Sonnino e Salandra) che militava sul fronte della destra anti-giolittiana più tradizionalista. Alle giovani generazioni, già alla vigilia della guerra, e cioè nella fase più intensa della collaborazione derobertiana, quel giornale appariva un rispettabile club di sopravvissuti:* «Ci collabora tutta la più brava gente d'Italia, dalle cattedre e dalle provincie; (...) è gente *che ha ottenuto un gran successo di stima, che tutti rispettano ma che nessuno andrebbe a cercare. Se c'è dei solitari, degli incompresi, dei mezzo dimenticati, il Giornale è fatto apposta per loro». Parole ben tristi, queste di Renato Serra, ribadite più crudamente, qualche anno dopo, a proposito di De Roberto, collocato «più in disparte e più in alto» dei suoi contemporanei, ma anche «un po' indietro, in una seconda luce austera e discreta».*

De Roberto esordisce, sul Giornale, *pubblicando nel febbraio 1909 il racconto "Nora, o le spie", ispirato a un caso di cronaca (lo scandalo Saletta-Siemens, un intrigo giallorosa tra un capo di stato maggiore e un'attraente spia tedesca, che aveva sedotto perfino il marchese San Giuliano, ossia il Consalvo Uzeda dei* Viceré *e dell'*Imperio*) e giocato nelle tonalità un po' frivole del racconto spionistico ridimensionato e irriso, piegato al divertissement e al grottesco per inadeguatezza dell'oggetto: insomma, alla Graham Greene* avant-lettre. *Pubblica poi, e fino al '22 (quando romperà, irritato dalla stroncatura d'un*

70

suo cimento teatrale), una cinquantina di pez-
zi: divagazioni sull'amore (tema ricorrente
nell'opera sua, finora ritenuto a torto margi-
nale, in realtà turbato dagli stessi fantasmi
che abitano l'universo del Potere), ma anche
contributi letterari (novelle e recensioni) e in-
fine interventi, analisi, divagazioni storiche e
letterarie sul tema obbligato della guerra, che
intanto imperversa e coinvolge l'Italia.

Questi ultimi scritti saranno raccolti nel
1919, da Treves, nel volume intitolato Al
rombo del cannone, *cui seguirà l'anno se-*
guente, sollecitato da un mercato ovviamente
sensibilizzato alla letteratura bellica, All'ombra dell'olivo. *In questo secondo volume con-*
fluiranno, invece, gli articoli che intanto De
Roberto ha ripreso a inviare, a distanza di
vent'anni dalla sua collaborazione giovanile,
al Giornale di Sicilia *di Palermo.*

Due libri, Al rombo del cannone *e* Al-
l'ombra dell'olivo, *tutt'altro che centrali e ri-*
solutivi, nel contesto della produzione e della
riflessione derobertiane: ma ancora una volta
sbaglierebbe chi li relegasse al rango di disim-

*pegnate divagazioni. Si leggano le pagine di
"Moralità e immoralità della guerra", nell'ultimo dei due volumi. Già il titolo dice a chia-
re lettere quale sia l'approccio alla materia. E
infatti De Roberto inizia il suo scritto rivol-
gendo un perentorio atto d'accusa all'*intelli-
ghenzia *tedesca: dietro la logica cinica e brutale dell'imperialismo guglielmino starebbe-
ro, infatti, «la predicazione di Zarathustra»
e la cultura che circola in quelle università.
Tale asserzione, benché schematica, coglie le
corresponsabilità politiche degli intellettuali,
non più disinteressati creatori, ma mediatori
del consenso e diffusori di miti riconoscibili e
praticabili. E comunque si spiega non solo con
l'incomprensione del pensiero di Nietzsche,
ma pure con un retroterra di predilezioni e di
interessi scarsamente orientati verso l'area
mitteleuropea e centrati, piuttosto, su quella
francese, tutt'al più tracimanti su quella an-
gloamericana: uno schieramento d'idee e
d'autori, dunque, che è il corrispettivo lette-
rario delle potenze dell'Intesa. Ovvero:* civili-
sation *contro* Kultur.

Ma subito l'argomentazione scivola nel moralismo più scoperto e manicheo, tranne laddove lo scrittore si dimostra consapevole delle valenze politiche del dibattito coevo sulla guerra e coglie i limiti di certa mitologia interventista: contro ogni tentativo di estetizzazione del conflitto, non esita a definire "orrenda" la guerra; e in margine a uno scritto di Gustave Le Bon, da cui emergeva la tesi del conflitto come legge universale e benefica, avverte che «insistendo su questi concetti, si potrebbe finire col dare ragione alla concezione germanica della giustizia biologica». E discettando sugli opposti princìpi della lotta e della solidarietà, conclude che «la storia del genere umano non consiste nel trionfo di quella e nelle sconfitte di questa, ma in un'alternativa di sconfitte e di vittorie dell'una e dell'altra ed in un continuo, seppur lento e non sempre fortunato sforzo di accrescere il credito e il regno della concordia»: che è la concezione della politica come «movimento fatale delle idee» che ispira L'imperio e gli conferisce ben altro spessore rispetto all'astiosa e qualunquistica narrativa antiparlamentare tra i due secoli. È proprio su questo relativismo, su questa constatazione della reversibilità degli estremi, sullo stesso metastorico "trasformismo" che nei Viceré lo scrittore aveva visto attraversare e omologare idealità e schieramenti, promuovendolo fin d'allora a polemica chiave di lettura della storia patria, che si fondano gli scritti di De Roberto, in sintonia con tutto un filone della letteratura bellica italiana.

È il caso, perciò, di considerare questa produzione nell'ambito dell'«uso intellettuale della guerra» e dell'«uso politico degli intellettuali», di cui parlò Mario Isnenghi nel suo libro sul "mito della grande guerra". Ed è superfluo ribadire i significati palingenetici di cui tanti intellettuali italiani avevano caricato lo storico appuntamento del 1915, che consentiva alfine a vociani e a futuristi, a nazionalisti e a interventisti democratici di verificare, in un concreto rapporto con le masse in armi, nonché con l'opinione pubblica, quelle velleità egemoniche che erano matu-

rate nell'opposizione al trasformismo giolit-
tiano. Un ampio spettro di moventi e di esiti, certo, intercorreva tra chi accettava il ruolo di mediatore del potere costituito e chi am-
biva viceversa a farsi del popolo una leva per
un'operazione destabilizzante, per un ricam-
bio dell'élite.

Quest'ultimo è il caso del filone ribellisti-
co – rappresentato soprattutto dal Malaparte
della Rivolta dei santi maledetti – che prefi-
gurava, se non ineluttabilmente il fascismo,
certo esiti qualitativamente diversi dal logo-
rato assetto liberale; tra i casi, viceversa, di
uso politico degli intellettuali in funzione della gestione del consenso potremmo non ca-
sualmente rubricare quello dell'illustre peda-
gogista Giuseppe Lombardo Radice.

Infatti è alle posizioni di quest'ultimo, ti-
piche dell'intellettualità democratico-riformi-
sta postasi al servizio della guerra sotto il segno del paternalismo illuminato e d'un cauto
riformismo, che si possono avvicinare quelle
espresse da De Roberto nei suoi scritti: e il pa-
ragone risulta tanto più fondato ove si pensi

all'attività assai incisiva di educatore svolta in quegli anni da Lombardo Radice nell'università di Catania, dove pronunziò tra l'altro, all'indomani di Caporetto, un discorso celebre, certamente il più emblematico della sua concezione cautamente giustificativa del conflitto.

Attestano quest'affinità i carteggi derobertiani (inediti come la maggior parte delle corrispondenze dello scrittore) con il Comitato catanese di preparazione e con lo stesso Lombardo Radice, che ne fu autorevole portavoce. L'attiva collaborazione di De Roberto con le campagne del Comitato (lesse pubblicamente, fra l'altro, il 27 giugno del '15, un suo patriottico prologo a una recita di beneficenza del Romanticismo *di Rovetta) e con il "Bollettino di mobilitazione civile" dà ragione non solo del rapporto De Roberto-Lombardo Radice, ma pure del ripensamento derobertiano rispetto a quell'iniziale anti-interventismo che l'aveva già indotto a dissociarsi fermamente dal direttore del* Corriere, *l'amico Luigi Albertini, e che ora si tramutava invece in un interventismo accortamente mode-*

rato, sulla linea di quel revisionismo demo-cratico-socialista sostenuto, tra gli altri, dal "viceré socialista" di Catania, Giuseppe De Felice Giuffrida.

Il senso di operazioni come quella attiva di Lombardo Radice o quella più defilata, el-zeviristica, di De Roberto non va oltre l'il-lusorio recupero di un mandato sociale e di una funzione pedagogica: né l'uno né l'altro sanno leggere gli eventi bellici altrimenti che dal punto di vista della classe dirigente e dei Comandi. E tuttavia, detto ciò, si torni a leg-gere "La paura", per avvertire fino in fondo un contrasto insanabile tra quegli scritti di routine e certe improvvise folgorazioni, vere e proprie vertigini intellettuali ed espressive che attingono agli strati più profondi del-l'umano patire. È la stessa stridente antino-mia tra pronunziamenti pubblici e traumi pri-vati, fra inerzia delle idées reçues e rigore del metodo che d'un misogino come De Roberto aveva fatto nell'"Illusione" e altrove un coin-volto indagatore di anime femminili, e che d'una novella come "La paura" fa una desolata testimonianza e una denunzia implacabile degli orrori d'una guerra altrove fatta oggetto di fredde disamine o peggio d'una compiaciuta aneddotica.

Ma è negli altri racconti bellici, di cui conviene dar conto brevemente, che la contraddizione è palese. È così nella novella "La posta", che pure rappresenta assai bene, nell'oscura guerra del contadino siciliano analfabeta, che pensa assai più alla ciclica vicenda delle semine e dei raccolti nei suoi campi lontani che a quella a lui estranea del conflitto, l'avversione alla guerra delle masse contadine dell'isola; è così nell'altra novella "L'ultimo voto", efficace nella straniata figurazione del cadavere dell'ufficiale, che emerge come "un grosso insetto" in un'atmosfera allucinata e irreale, ma estremamente convenzionale nel contrapporvi l'indifferenza della moglie, un'algida replicante della razza padrona dei "viceré".

È così, infine, nei tre racconti ambientati nelle retrovie, gli unici raccolti dall'autore in volume (La cocotte, 1920). Di questi ultimi, piuttosto che il vieto tema dell'amore coniugale svolto nella "Cocotte" o l'insopportabile manicheismo di "Due morti", va ricordato il divertissement solo apparentemente disimpegnato di "All'ora della mensa". Vi si racconta di un'indagine su un presunto caso di spionaggio in un tranquillo e sonnecchiante Comando di tappa: ma l'atteso smascheramento finale diviene una scoperta da burla, e la novella si rivela una divertita satira dei militari delle retrovie, patetici piccolo borghesi come il presunto traditore Galvagni o borghesi tronfi e adiposi come il maggiore Costarica, ex procuratore della ditta "Figli di Saverio Cosimo – cuoi e pellami", personaggi nelle cui vicende, ritratte con gusto macchiettistico, si celebra la continuità fra l'Italietta prebellica e una guerra antieroica, tutt'altro che salvifica, scandita solo dai piccoli espedienti e dalle nevrosi della più domestica quotidianità.

Di quotidiane e penose nevrosi, circondato da un'aura di fallimento e di patimento, chino al capezzale della madre possessiva e ossessiva o sullo scrittoio dove si ostinava a correggere i suoi testi e collazionare le sue fonti con uno scrupolo ignoto al nuovo secolo fatuo e rissoso, l'autore dei Viceré continuò a vivere da sopravvissuto fino a morirne, nel cuore di quel secolo che l'aveva frettolosamente archiviato, ma nel quale quel galantuomo ottocentesco probo e meticoloso aveva sguinzagliato i mostri del Potere brutale e indifferente, della Disdetta ineluttabile, d'una cosmica Paura.

Indice

assolo

Finito di stampare il 14 gennaio 2008
presso Arti Grafiche La Moderna
di Roma